DZIENNIK

CWANIACZKA

Zrób to sam!

W SERII:

Dziennik cwaniaczka • Rodrick rządzi
Szczyt wszystkiego • Ubaw po pachy
Przykra prawda • Biała gorączka • Trzeci do pary
Zezowate szczęście • Droga przez mękę
Stara bieda • Ryzyk-fizyk • No to lecimy
Jak po lodzie • Totalna demolka • Zupełne dno
Dziennik cwaniaczka. Zrób to sam!

WKRÓTCE:

Jeszcze więcej cwaniaczka!

DZIENNIK

CWANiACZKA

Zrób to sam!

Jeff Kinney

Tłumaczenie
Joanna Wajs

MIEJSCE
NA TWOJĄ
FOTKĘ
↓

Nasza Księgarnia

Tytuł oryginału angielskiego: *The Wimpy Kid Do-It-Yourself Book*

Wimpy Kid text and illustrations copyright © 2008, 2011 Wimpy Kid, Inc.

DIARY OF A WIMPY KID®, WIMPY KID™, and the Greg Heffley design™ are trademarks of Wimpy Kid, Inc. All rights reserved.

First published in the English language in 2011 by Amulet Books, an imprint of Harry N. Abrams, Inc., New York.

Original English title: The Wimpy Kid Do-It-Yourself Book (All rights reserved in all countries by Harry N. Abrams, Inc.)

© Copyright for the Polish edition by Wydawnictwo „Nasza Księgarnia", Warszawa 2013
© Copyright for the Polish translation by Joanna Wajs, Warszawa 2013

Książkę wydrukowano na papierze Ecco-Book Cream 70 g/m² wol. 2,0.

Wydawnictwo
NASZA KSIĘGARNIA

05-075 Warszawa-Wesoła, ul. Apteczna 6
e-mail: naszaksiegarnia@nk.com.pl
tel. 22 643 93 89

Sprzedaż wysyłkowa: tel. 22 641 56 32
e-mail: sklep.wysylkowy@nk.com.pl
www.nk.com.pl

Redaktor prowadząca *Joanna Wajs*
Opieka redakcyjna *Magdalena Korobkiewicz*
Redakcja techniczna *Joanna Piotrowska*
Korekta *Krystyna Lesińska, Roma Sachnowska*
Skład i łamanie *Mariusz Brusiewicz*

ISBN 978-83-10-13793-7

PRINTED IN POLAND

Wydawnictwo „Nasza Księgarnia", Warszawa 2022 r.
Druk: POZKAL, Inowrocław

TA KSIĄŻKA NALEŻY DO

_____

UCZCIWY ZNALAZCO! ODEŚLIJ JĄ
POD ADRES

_____

_____

(I NIE LICZ NA ŻADNĄ NAGRODĘ).

Co właściwie możesz zrobić z tą książką?

No dobra, jest teraz twoja, więc w sumie możesz
z nią zrobić, co tylko przyjdzie ci do głowy.

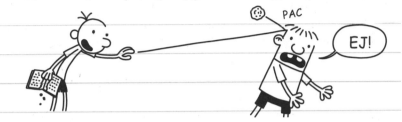

Ale jeśli cokolwiek napiszesz w tym dzienniku,
przenigdy się go nie pozbywaj. Bo przyjdzie taki
dzień, że będziesz chciał pokazać innym ludziom, jaki
byłeś w dzieciństwie.

Zresztą nieważne, co zrobisz, bylebyś tylko nie
wypisywał tu nic o swoich „uczuciach". Bo musisz
wiedzieć jedno: to NIE jest pamiętnik.

Co byś zabrał na

Gdybyś do końca życia musiał być rozbitkiem, co chciałbyś mieć ze sobą?

Gry wideo

1.

2.

3.

Piosenki

1.

2.

3.

BEZLUDNĄ WYSPĘ?

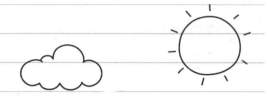

Książki

1.
2.
3.

Filmy

1.
2.
3.

Czy kiedykolwiek fryzjer obciął cię tak tragicznie, że nie mogłeś pokazać się w szkole?

TAK ☐   NIE ☐

Czy kiedykolwiek musiałeś posmarować olejkiem do opalania jakiegoś dorosłego?

TAK ☐   NIE ☐

Czy kiedykolwiek zostałeś ugryziony przez zwierzę?

TAK ☐
NIE ☐

Czy kiedykolwiek zostałeś ugryziony przez człowieka?

TAK ☐
NIE ☐

Czy kiedykolwiek próbowałeś zrobić balona z rodzynek zamiast gumy do żucia?

TAK ☐   NIE ☐

KIEDYKOLWIEK...

Czy kiedykolwiek zdarzyło ci się nasikać do basenu?

TAK □ NIE □

Czy kiedykolwiek zostałeś pocałowany w usta przez krewną po siedemdziesiątce?

TAK □ NIE □

Czy kiedykolwiek zostałeś wyrzucony z domu przez rodziców swojego przyjaciela?

TAK □ NIE □

Czy kiedykolwiek musiałeś zmienić komuś pieluchę?

DŁUGO MAM JESZCZE CZEKAĆ?

TAK □ NIE □

ODPOWIEDZ NA TE PYTANIA, A POTEM
ODWRÓĆ KSIĄŻKĘ DO GÓRY NOGAMI
I ODKRYJ PRAWDĘ O SOBIE, KTÓREJ
NIGDY BYŚ SIĘ NIE SPODZIEWAŁ.

TEST

Jakie jest twoje ulubione ZWIERZĘ?

Pokaż, dlaczego je lubisz, wypisując
CZTERY PRZYMIOTNIKI kojarzące ci się z tym
zwierzęciem.

(NA PRZYKŁAD: MILUTKIE, ODLOTOWE I TAK DALEJ).

Jaki jest twój ulubiony KOLOR?

Pokaż, dlaczego go lubisz, wypisując CZTERY
PRZYMIOTNIKI kojarzące ci się z tym kolorem.

- -

Przymiotniki związane z twoim ulubionym ZWIERZĘCIEM
opisują to, JAK MYŚLISZ O SOBIE SAMYM.
Przymiotniki związane z twoim ulubionym KOLOREM opisują to,
JAK INNI LUDZIE MYŚLĄ O TOBIE.

OSOBOWOŚCI

Jaki tytuł ma KSIĄŻKA, którą ostatnio czytałeś?

_____

Wypisz CZTERY PRZYMIOTNIKI, które kojarzą ci
się z tą książką.

_____   _____

_____   _____

Jaki jest twój ulubiony FILM?

_____

Pokaż, dlaczego go lubisz, wypisując CZTERY
PRZYMIOTNIKI kojarzące ci się z tym filmem.

_____   _____

_____   _____

- -

Przymiotniki związane z ostatnio czytaną przez ciebie KSIĄŻKĄ
pokazują, CO WYŚLISZ O SZKOLE.
Przymiotniki związane z twoim ulubionym FILMEM pokazują,
JAKI BĘDZIESZ za trzydzieści lat.

Niedokończone

Jeny Julek!

KOMIKSY

Jeny Julek!

WŁASNE komiksy

Co kryje twój

MÓZG?

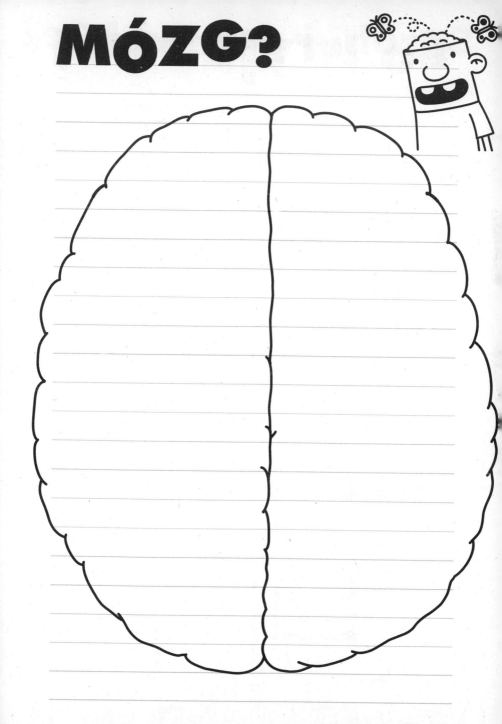

Spróbuj przewidzieć

WIEDZIAŁEM, ŻE TAK BĘDZIE!

CHOROBA!

Oficjalnie ogłaszam, że za dwadzieścia lat od dzisiaj samochody będą na _____ zamiast na benzynę. Cheeseburger będzie kosztował _____, a bilet do kina _____. Zwierzaki będą miały swoje własne _____. Majtki będą produkowane z _____. Na świecie nie będzie już _____. Gość o nazwisku _____ zostanie prezydentem. Ludzi będzie wtedy mniej niż _____.

A tak będzie brzmiało MEGADENERWUJĄCE powiedzonko:

_____

_____

CZE, STA, WSZY GRA?

NA MA! WRZU NA LU!

PRZYSZŁOŚĆ

Kosmici przylecą na naszą planetę w roku _____
i wygłoszą następujące oświadczenie:

_____

_____

_____

BROKUŁY NIGDY NIE MIAŁY STAĆ SIĘ POŻYWIENIEM!

WIEDZIAŁEM!

A to za dwadzieścia lat będzie najbardziej działać na
nerwy starym ludziom:

_____

_____

DESKOLOTEK SIĘ HUNCWOTOM ZACHCIAŁO!

ZIUUUUU

Spróbuj przewidzieć

ZA PIĘĆDZIESIĄT LAT:

Roboty i ludzie będą toczyć bój o władzę nad
światem. PRAWDA ☐   FAŁSZ ☐

Rodzice tańczący bliżej niż sześć metrów od własnych
dzieci będą ścigani przez prawo. PRAWDA ☐ FAŁSZ ☐

Ludzie będą mieli wszczepione w mózgi czipy do
porozumiewania się bez słów. PRAWDA ☐ FAŁSZ ☐

PRZYSZŁOŚĆ

TU WYPISZ SWOJE NAJBARDZIEJ SZALONE
PRZYPUSZCZENIA DOTYCZĄCE PRZYSZŁOŚCI:

1.

2.

3.

4.

5.

(JEŚLI ZROBISZ TO TERAZ, POTEM BĘDZIESZ
MÓGŁ DO ZNUDZENIA POWTARZAĆ KUMPLOM:
„A NIE MÓWIŁEM?").

Spróbuj przewidzieć SWOJĄ

Odpowiedz na te pytania, a jak już będziesz dorosły, sprawdź, w czym miałeś rację, a w czym się pomyliłeś!

KIEDY STUKNIE MI TRZYDZIESTKA...

Będę żyć w miejscu oddalonym o _____ kilometrów od mojego obecnego domu.

Będę PO ŚLUBIE ☐   Będę SINGLEM ☐

Będę mieć _____ dzieci oraz

_____ o imieniu _____.

Zostanę _____ i będę zarabiać _____ rocznie.

Zamieszkam w _____

na _____.

Drogę do pracy będę pokonywać _____

_____.

WŁASNĄ przyszłość

Będę mieć _____ wzrostu.

Będę nosić nadal tę samą fryzurę.
PRAWDA ☐ FAŁSZ ☐

Będę mieć tego samego najlepszego przyjaciela.
PRAWDA ☐ FAŁSZ ☐

Będę w fantastycznej kondycji.
PRAWDA ☐ FAŁSZ ☐

Będę nadal słuchać tej samej
muzyki. PRAWDA ☐ FAŁSZ ☐ –

Będę mieć na koncie wiele zagranicznych podróży,
a konkretnie do: _____.

Rzeczą, która najbardziej się we mnie zmieni, będzie:

_____

_____

_____.

Spróbuj przewidzieć SWOJĄ

W tym zadaniu z grubsza chodzi o to, że masz rzucać kostką i skreślać słowa, których kolejność na liście odpowiada liczbie wyrzuconych oczek. Na przykład:

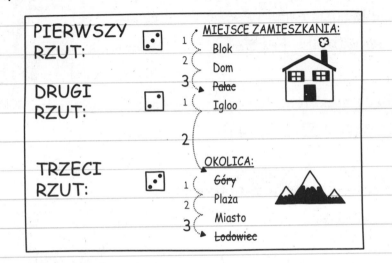

Przejdź w ten sposób przez całą listę, a kiedy dotrzesz do końca, zacznij od początku. Gdy w którejś kategorii zostanie tylko jedna możliwość, zakreśl ją. A kiedy uporasz się w ten sposób ze wszystkimi kategoriami — poznasz swoją przyszłość! Powodzenia!

WŁASNĄ przyszłość

MIEJSCE ZAMIESZKANIA:

Blok

Dom

Pałac

Igloo

OKOLICA:

Góry

Plaża

Miasto

Lodowiec

ZAWÓD:

Lekarz

Aktor

Klaun

Mechanik

Prawnik

Pilot

Sportowiec

Dentysta

Iluzjonista

Co tylko zechcesz

DZIECI:

Zero

Jedno

Dwoje

Dziesięcioro

ŚRODEK TRANSPORTU:

Samochód

Motocykl

Helikopter

Deskorolka

ZWIERZAK:

Pies

Kot

Papuga

Żółw

PENSJA:

300 zł rocznie

300 000 zł rocznie

3 miliony zł rocznie

300 milionów zł rocznie

Zaprojektuj swój

PRZYSZŁY DOM GREGA HEFFLEYA

SALON GIER

KRĘGIELNIA

KRYTY BASEN

GŁÓWNA SYPIALNIA

WEJŚCIE

90-CALOWA PLAZMA

PIZZERIA

JACUZZI

TOR GOKARTOWY

KOMÓRKA DLA SŁUŻBY

WYMARZONY DOM

TWÓJ PRZYSZŁY DOM

KLUB PRZYJACIÓŁ:

NAJWIĘKSZE SZANSE,
ŻE ZAŚNIE NA LEKCJI

NAJWIĘKSZE SZANSE, ŻE
ZEMDLEJE NA WIDOK KRWI

NAJWIĘKSZE SZANSE, ŻE
ZOSTANIE MILIARDEREM

NAJWIĘKSZE SZANSE, ŻE
WYSTĄPI W REALITY SHOW

ŚCIANA CHWAŁY

NAJWIĘKSZE SZANSE, ŻE
ZOSTANIE PREZYDENTEM

NAJWIĘKSZE SZANSE,
ŻE PRZYJDZIE DO SZKOŁY
W PIŻAMIE

NAJWIĘKSZE SZANSE, ŻE
UCIEKNIE DO CYRKU

NAJWIĘKSZE SZANSE, ŻE
USTANOWI REKORD ŚWIATA

Kilka pytań

Jaka najbardziej żenująca rzecz przydarzyła się osobie, którą znasz (ale nie tobie)?

Jaką najobrzydliwszą rzecz zdarzyło ci się zjeść?

W ilu susach jesteś w stanie dotrzeć do łóżka po zgaszeniu światła?

Ile byś zapłacił, żeby rano mieć godzinę snu ekstra?

od GREGA

Czy kiedykolwiek
udawałeś chorego,
żeby nie iść do szkoły?

> MOJE
> BIEDACTWO!

> JĘK!

(NOWA GRA WIDEO)

Czy denerwuje cię, kiedy ludzie skaczą?

> TRA LA LA
> LA LA!

Czy kiedykolwiek zdarzyło ci się coś przeskrobać i nie
ponieść kary?

Niedokończone

Brzydki Gienek

KOMIKSY

Brzydki Gienek

KLUB ANONIMOWYCH BRZYDALI

WŁASNE komiksy

Co byś

☐ Spać w wannie.
☐ Spać w pokoju rodziców.

☐ Jeść to samo na śniadanie, obiad
i kolację do końca życia.
☐ Oglądać ten sam serial
telewizyjny do końca życia.

☐ Mieć moc stawania się niewidzialnym, ale tylko na
dziesięć sekund.
☐ Móc latać, ale tylko metr nad
ziemią.

☐ Dostać na cały miesiąc szlaban na telewizję.
☐ Dostać na cały miesiąc szlaban na internet.

☐ Spędzić całą noc w nawiedzonym domu.
☐ Spędzić minutę w pokoju pełnym pająków.

☐ Zagrać główną rolę w naprawdę kiepskim filmie.
☐ Zagrać małą rólkę w naprawdę świetnym filmie.

WOLAŁ?

☐ Co rok nosić ten sam kostium na Halloween.

☐ Przez tydzień chodzić w tych samych skarpetkach.

MLASK
CIAMK

☐ Wciskać sąsiadom batony czekoladowe podczas szkolnej zbiórki pieniędzy.

☐ Rzucić słodycze na cały miesiąc.

☐ Być tak sławnym, żeby wszyscy wiedzieli, kim jesteś.

☐ Wieść ciche życie i mieć święty spokój.

☐ Wiedzieć, co się stanie w przyszłości.

☐ Wiedzieć, co się zdarzyło w przeszłości.

☐ Nie musieć się kąpać.

☐ Nie musieć odrabiać pracy domowej.

MYDŁO

☐ Mieć całą muzykę świata za darmo.

☐ Mieć wszystkie gry wideo świata za darmo.

CZIPSY

Dobre rady na początek

1. Nie używaj łazienki na drugim piętrze, bo tam nie ma ścian między kabinami.

2. Uważaj, obok kogo siadasz w stołówce.

3. Nie dłub w nosie, jeśli szkolny fotograf ma zaraz zrobić ci zdjęcie.

roku szkolnego

1.

2.

3.

4.

Narysuj swoją RODZINĘ,

jak zrobiłby to Greg Heffley

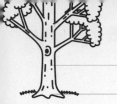

Stwórz własne

Do ilu pokoleń wstecz znasz historię swojej rodziny?

DRZEWO GENEALOGICZNE

Na tej stronie narysuj SWOJE WŁASNE drzewo!

Twoje HITY

Program TV:

Kapela:

Drużyna sportowa:

Jedzenie:

Znana osoba:

Zapach:

Superłotr:

Marka butów:

Sklep:

Napój:

Płatki śniadaniowe:

Superbohater:

Słodycze:

Restauracja:

Sportowiec:

Konsola gier:

Komiks:

Czasopismo:

Samochód:

i KITY

Program TV:

Kapela:

Drużyna sportowa:

Jedzenie:

Znana osoba:

Zapach:

Superłotr:

Marka butów:

Sklep:

Napój:

Płatki śniadaniowe:

Superbohater:

Słodycze:

Restauracja:

Sportowiec:

Konsola gier:

Komiks:

Czasopismo:

Samochód:

Uwiecznij swoje

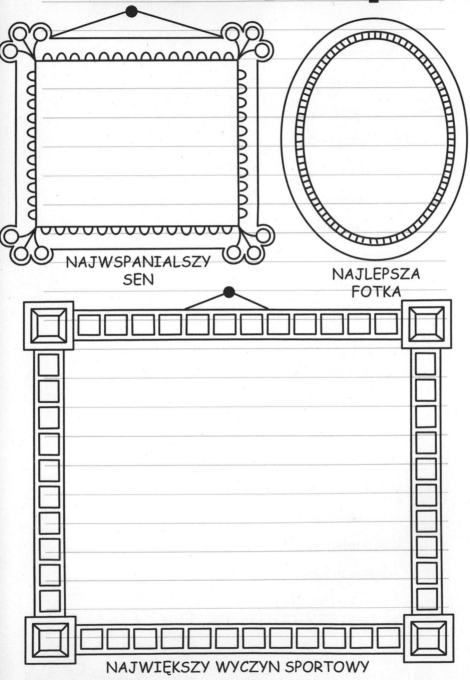

NAJWSPANIALSZY
SEN

NAJLEPSZA
FOTKA

NAJWIĘKSZY WYCZYN SPORTOWY

MOMENTY ŚWIETNOŚCI

NAJGENIALNIEJSZY TEKST

NAJWAŻNIEJSZA
NAGRODA

NAJSMACZNIEJSZY
POSIŁEK

NAJFAJNIEJSZY
KOSTIUM NA HALLOWEEN

Rzeczy, które powinieneś

☐ Zarwać noc.

☐ Zaliczyć pętlę na kolejce górskiej w wesołym miasteczku.

☐ Wdać się w gastrobójkę.

CIAP

☐ Dostać autograf od znanej osoby.

☐ Trafić do dołka za pierwszym podejściem w minigolfie.

☐ Samemu się ostrzyc.

☐ Wymyślić jakiś wynalazek.

☐ Spędzić trzy noce z rzędu poza domem.

☐ Napisać do kogoś list z prawdziwym znaczkiem i całą resztą.

Droga babciu, przyślij kasę.

ODFAJKOWAŁEM JUŻ PRAWIE WSZYSTKO!

zrobić, zanim się zestarzejesz

☐ Pojechać na biwak.

☐ Przeczytać od początku do końca książkę bez żadnych obrazków.

☐ Pokonać w wyścigu kogoś starszego.

☐ Zjeść całego lizaka bez nadgryzania go.

☐ Skorzystać z toi toia.

☐ Zdobyć co najmniej jeden punkt na zawodach sportowych.

☐ Spróbować swoich sił w konkursie talentów.

Zbuduj swoją własną KAPSUŁĘ CZASU

KAPSUŁA
CZASU

NIE OTWIERAĆ
PRZEZ 500 LAT

Za setki lat ludzie będą chcieli wiedzieć, jak wyglądało twoje życie. Jakie ciuchy nosiłeś? Jakie czytałeś książki? Co robiłeś w wolnym czasie?

Wypełnij pudełko rzeczami, które dadzą ludziom z przyszłości właściwe wyobrażenie o tobie. Zrób listę przedmiotów, które umieściłeś w pudełku, a potem zakop kapsułę w jakimś bezpiecznym miejscu!

1.

2.

3.

4.

5.

6.

7.

8.

NAJBARDZIEJ ODJECHANY DOWCIP, jaki kiedykolwiek słyszałeś

Pięć rzeczy, których NIKT o tobie NIE WIE...

BO NIGDY NIE ZADAŁ SOBIE TRUDU,
ŻEBY CIĘ ZAPYTAĆ.

1.

2.

3.

4.

5.

POTRAFIĘ WSADZIĆ CAŁĄ STOPĘ DO UST!

JESTEŚ OBLEŚNY!

Twój NAJGORSZY KOSZMAR SENNY

FERMA TARANTULOWA

Reguły dla twojej

1. Nic do mnie nie mówcie przed 8:00 rano.

2. Nie sadzajcie mnie obok młodszego brata, kiedy jemy spaghetti.

3. Nie wchodźcie do mojego pokoju bez pukania.

4. Nigdy, przenigdy nie pożyczajcie mojej bielizny.

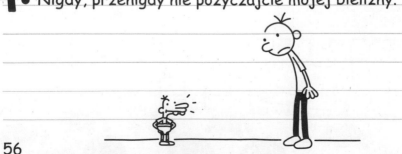

RODZINY

1.

2.

3.

4.

PARĘ KONKRETÓW o ludziach

Osoba, której bez wahania
powierzyłbyś sekret: _____

Osoba, która byłaby dobrym
współlokatorem w internacie: _____

Osoba, która mogłaby kupować ci
ciuchy: _____

Osoba, która całkiem nieźle
obcięłaby ci włosy: _____

Osoba, która najgorzej kłamie: _____

Osoba, która potrafiłaby
puścić bąka i zwalić winę
na kogoś innego: _____

Osoba, która mogłaby pożyczyć
coś i zapomnieć oddać: _____

z twojej KLASY

Osoba, która bez problemu
przetrwałaby w dziczy:

_____

Osoba, która mogłaby odrabiać
za ciebie prace domowe:

_____

Osoba, której głos słychać na
drugim końcu miasta:

_____

Osoba, z którą nie chciałbyś
walczyć na pięści:

_____

Osoba, z którą fajnie byłoby
mieszkać na jednej ulicy:

_____

Osoba, którą łatwo namówić do
zrobienia czegoś zwariowanego:

_____

Osoba, w której ręce nigdy nie
może wpaść ten dziennik:

_____

Twoje życie

Najdłuższy czas, w jakim obywałeś się bez kąpieli:

_____

Najwięcej misek płatków zjedzonych naraz:

_____

Twój najdłuższy szlaban: _____

Twoje największe spóźnienie do szkoły:

_____

Tyle razy gonił cię pies:

_____

Tyle razy stałeś pod drzwiami, bo zapomniałeś klucza:

_____

w liczbach

Najdłuższy czas, jaki spędziłeś nad pracą domową podczas jednego wieczoru:

_____

Największa suma, jaką udało ci się zaoszczędzić: _____

 Liczba stron najkrótszej książki, z której napisałeś wypracowanie:

_____

Najdłuższy dystans, jaki kiedykolwiek przeszedłeś:

_____

Najdłuższy czas bez telewizora:

 _____

Tyle razy zostałeś przyłapany na dłubaniu w nosie:

Tyle razy dłubanie w nosie uszło ci na sucho:

Twoje życie

Tyle lat miałeś, kiedy nauczyłeś się jeździć na rowerze:

Najdłuższy czas, jaki spędziłeś poza domem:

Tyle godzin codziennie poświęcasz na telewizję:

Tyle lat mógłbyś mieć już zawsze, gdybyś musiał wybierać: _____

Tyle razy oglądałeś swój ulubiony film:

CZEŚĆ, JESTEŚ TRUPEM

Tyle razy leciałeś samolotem: _____

62

w liczbach

Tyle razy opychałeś się śmieciowym
żarciem w ciągu jednego dnia
(twój rekord):

_____

Liczba krajów, które odwiedziłeś:

_____

Najwięcej zwierzaków, jakie miałeś naraz: _____

Najwięcej dziur odkrytych
u ciebie przez dentystę
podczas jednego przeglądu:

_____

Najdłuższy czas, jaki spędziłeś
w kolejce: _____

Niedokończone

Słodki urwis

„Mamusiu, czy mój ołówek poszedł do nieba?"

Słodki urwis

KOMIKSY

Słodki urwis

Słodki urwis

# Narysuj SWOJE

„

                                                                    ”

WŁASNE komiksy

"

"

Wymyśl swoje własne
POWIEDZONKO

Sam wiesz, jak to jest: jakaś postać w filmie albo w programie telewizyjnym mówi zabawną rzecz, a potem WSZYSCY ją powtarzają. No więc czemu nie miałbyś wymyślić SWOJEGO WŁASNEGO kultowego powiedzonka, które potem wydrukujesz na T-shirtach i zgarniesz kupę kasy?

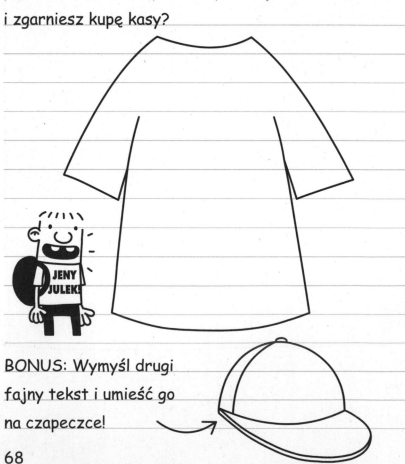

BONUS: Wymyśl drugi fajny tekst i umieść go na czapeczce!

Na wypadek gdybyś STRACIŁ PAMIĘĆ...

Ludzie w filmach zawsze dostają w głowę, potem się budzą i nie pamiętają, kim są. Na wypadek gdyby coś podobnego przytrafiło się właśnie tobie, powinieneś wynotować poniżej najważniejsze fakty dotyczące twojego życia — żebyś na wstępie miał łatwiej niż inni!

1.

2.

3.

4.

NAJLEPIEJ MI SIĘ ŚPI W CZERWONEJ PIŻAMCE-
-PAJACYKU!

PIERWSZE CZTERY USTAWY,
które byś przepchnął, gdybyś został prezydentem

1.

2.

3.

4.

" Niniejszym uchwala się, że od teraz po wsze czasy żaden uczeń gimnazjum nie musi chodzić pod prysznic po wuefie! **"**

NAJSTRASZNIEJSZA ZBRODNIA, jakiej dopuściłeś się we wczesnym dzieciństwie

NIEDYSKRETNE

Czy kiedykolwiek zjadłeś
coś ze śmietnika?

TAK ☐   NIE ☐

Gdzie w twoim mieście można
zjeść najlepsze frytki?

_____

Rzecz, której raz spróbowałeś,
ale nigdy więcej nie powtórzysz
tego błędu. _____

Rzecz, którą chciałbyś
zrobić, gdybyś zebrał się
na odwagę.

_____

Gdybyś mógł zlikwidować jedno
ze świąt, które byś wybrał?

_____

KOCHAM
CIĘ

PYTANIA

Jak sądzisz, ile człowiek musi mieć lat, żeby mu w końcu kupili pierwszy telefon komórkowy?

_____

Jaki sport ma najnudniejsze transmisje w TV?

_____

Gdyby ogarnął cię szał zakupów, który sklep byś wybrał?

_____

Gdyby ktoś napisał książkę o twoim życiu, jaki miałaby tytuł?

_____

_____

_____

_____

Słodki zapach SUKCESU

Historia Grega Heffleya

Wyrób sobie
PODPIS

Któregoś dnia będziesz sławny, a sam chyba
przyznasz, że twój podpis wymaga jeszcze trochę
pracy. Poćwicz na tej stronie dawanie naprawdę
zajefajnych autografów.

Wynotuj swoje
KONTUZJE

OBTARTY ŁOKIEĆ
(PO POTKNIĘCIU SIĘ
O KRAWĘŻNIK)

PLASTIKOWY BUCIK BARBIE
(UTKNĄŁ W NOSIE)

ROZWALONY PODBRÓDEK
(GLEBA ZALICZONA PO ZBYT
DŁUGIM SIEDZENIU NA
KIBELKU)

ŚLAD NA NODZE
PO UGRYZIENIU
(FREGLEY)

ZŁAMANY MAŁY PALEC
(PRZYTRZAŚNIĘTY DRZWIAMI
PRZEZ MŁODSZEGO BRATA)

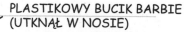

Kilka pytań od

Wierzysz w jednorożce?

Gdyby zdarzyło ci się spotkać jednorożca,
o co byś go zapytał?

Czy kiedykolwiek narysowałeś obrazek tak
straszny, że potem miałeś koszmary?

Ile razy w tygodniu śpisz
w łóżku rodziców?

ROWLEYA

Czy kiedykolwiek zawiązałeś sobie buty bez pomocy dorosłego?

Czy kiedykolwiek zrobiło ci się niedobrze od zjedzenia błyszczyka do ust o smaku wiśniowym?

Czy twój przyjaciel jest zazdrosny o to, że naprawdę świetnie skaczesz?

Zaprojektuj swoją własną

Kiedy zdobędziesz sławę, ludzie będą chcieli nazywać różne rzeczy na twoją cześć. Czyli już za kilka lat restauracje mogą sprzedawać kanapkę twojego imienia. Nic nie stoi na przeszkodzie, żebyś skomponował jej skład od razu.

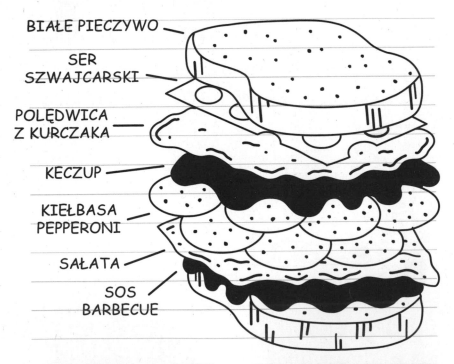

BIAŁE PIECZYWO

SER SZWAJCARSKI

POLĘDWICA Z KURCZAKA

KECZUP

KIEŁBASA PEPPERONI

SAŁATA

SOS BARBECUE

„KANAPKA ROWLEYA"

KANAPKĘ

TU NARYSUJ SWOJĄ KANAPKĘ

NAJWIĘKSZE BŁĘDY,

1. Uwierzyłem starszemu bratu, że moja szkoła bierze udział w obchodach Światowego Dnia Piżamy.

2. Wygrałem zakład, który rozsądniej było przegrać.

ZROBIŁEM TO! WISICIE MI ĆWIERĆ DOLCA!

3. Oddałem Timmy'emu Brewerowi pustą butelkę po moim napoju.

JASNY GWINT! WŁAŚNIE WYGRAŁEM MILION BAKSÓW!

jakie popełniłeś (do tej pory)

1.

2.

3.

Skompletuj swoją

NAZWA DRUŻYNY: _____

MIASTO: _____

KONKURENCJA SPORTOWA:

_____

LOGO:

MASKOTKA DRUŻYNY:

NARYSUJ JĄ TUTAJ

własną DRUŻYNĘ

SKŁAD DRUŻYNY:

	NAZWISKO	POZYCJA W GRZE
1.		
2.		
3.		
4.		
5.		

STRÓJ:

Niedokończone

Danielek Debilek

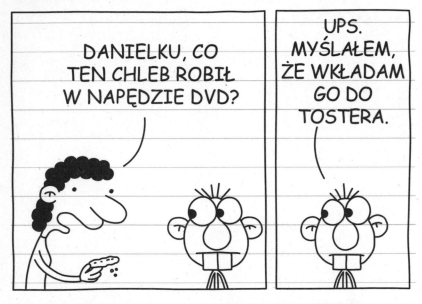

KOMIKSY

Danielek Debilek

Narysuj SWOJE

WŁASNE komiksy

 # ZESZYT ĆWICZEŃ

<u>TEST NA INTELIGENCJĘ:</u>

Przejdź przez ten labirynt i przekonaj się,
czy jesteś tępakiem, czy bystrzakiem.

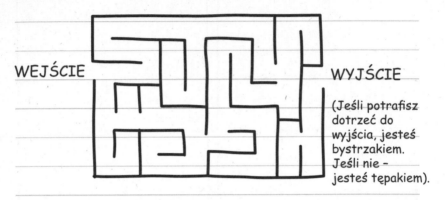

WEJŚCIE

WYJŚCIE

(Jeśli potrafisz
dotrzeć do
wyjścia, jesteś
bystrzakiem.
Jeśli nie –
jesteś tępakiem).

Umieść to zdanie przed lustrem i przeczytaj
tak głośno, jak tylko się da:

ᒐƎ2ƚƎW KᴚƎƚYИƎW.

Uzupełnij puste miejsce:

P: Kto jest niesamowity?

O: RODR_CK

(Wskazówka: chodzi o literkę „I").

RODRICKA

Odpowiedz na poniższe pytanie, używając tylko słów „tak" lub „nie":

P: Czy jest ci głupio, że narobiłeś dzisiaj w pieluchę? _____

Chciałbyś założyć kapelę? No cóż, spóźniłeś się, stary, bo najlepsza nazwa – czyli Bródna Pieluha – jest już zajęta. Ale jeśli nie poddajesz się łatwo, możesz skorzystać z podpowiedzi poniżej (dowolne pierwsze słowo połącz z dowolnym drugim):*

PIERWSZE SŁOWO	DRUGIE SŁOWO
ZAROMBISTY	JASZCZÓR
FSTRENTNE	ŚFINIE
BRÓTALNE	ŻYGI
ŻEŹNICZY	NURZ
KRFAWA	KOSA
ZAPAH	PAH

* PS Jeśli użyjesz którejś z tych nazw, wisisz mi sto dolców.

Załóż swoją własną

NAZWA GRUPY:

GATUNEK MUZYCZNY:
(ROCK, POP, RAP, COUNTRY I TAK DALEJ)

LOGO →

_____

FRONTMAN: BĘBNY:

GITARA ELEKTRYCZNA:

GITARA BASOWA:

KAPELĘ

Zaprojektuj plakat reklamujący wasz pierwszy występ!

Napisz własną

<u>WYLEF S PIELUHY</u>   Autor: Rodrick Heffley

Ta muza rozwali wasz sprzęt,
Meksyk zrobi niemały,
Rozsadzi na uszach słuchawki,
Wywali wam na wierzch gały.

Dźwięk podkręcimy na maksa,
Nic nas dziś nie zatrzyma!
Mózg wypłynie wam przez uszy,
Niezła kroi się zadyma.

To właśnie Bródna Pieluha,
Z której zaraz się uleje,
Więc spadajcie stąd, smarkacze,
Zanim któryś się rozpłacze!

Orientuj się, ziom, to Pieluha!
Pieluha, z której smród bucha.
Taka będzie tutaj jatka,
Że załkają ojciec, matka.

Czujecie ten megaklimat?
Czujecie ten cały czad?
Jak nie jesteście leszcze,
To chodźcie z nami i wrzeszczcie:

Tak, to Bródna Pieluha!
Słuchaj, dziewczyno, chyba żeś głucha!
Bo takiej nie było zawieruchy,
Od czasu, kiedy robiłaś w pieluhy.

PIOSENKĘ

Zaprojektuj wóz, którym będziesz jeździć

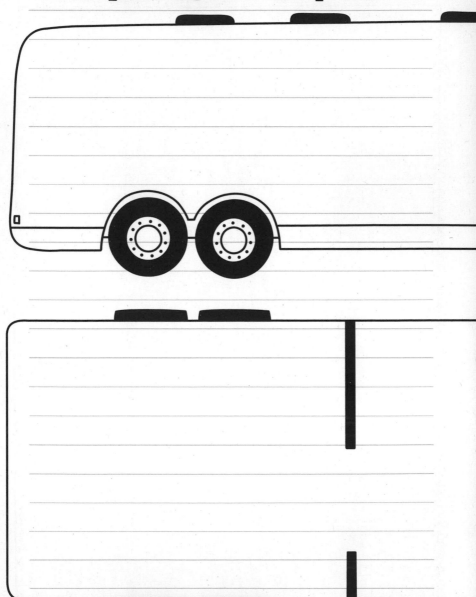

NIE ZAPOMNIJ O: ŁÓŻKACH PIĘTROWYCH, SOFACH, KUCHNI, ŁAZIENCE, TELEWIZJI I INNYCH RZECZACH NIEZBĘDNYCH W TRASIE!

w TRASĘ KONCERTOWĄ

Zaplanuj

Ludzie, których zabierzesz w podróż

★
★
★
★

Rzeczy, które ze sobą weźmiesz

★   ★
★   ★
★   ★
★   ★

Muzyka, bez której nie wytrzymasz

★   ★
★   ★
★   ★
★   ★

MEGAOBJAZDÓWKĘ

Miejsca, które zobaczysz

★　　　　　　　　★

★　　　　　　　　★

★　　　　　　　　★

★　　　　　　　　★

Trasa twoich marzeń

Twoja własna

Jak już zostaniesz słynnym muzykiem albo gwiazdą filmową, będziesz potrzebować listy rzeczy niezbędnych w twojej garderobie przed każdym występem.

Lista życzeń Grega Heffleya – strona 1 z 9

3 litry napoju winogronowego

2 pizze pepperoni w rozmiarze XXL

2 tuziny świeżutkich ciastek z kawałkami czekolady

1 miska żelków (bez różowych i białych)

1 maszyna do robienia popcornu

1 52-calowa plazma

3 konsole i 10 gier do każdej

1 automat do lodów włoskich

10 wafli

1 szlafrok frotté

1 para papuci

*** łazienka musi mieć podgrzewaną deskę klozetową

*** dopuszczalny wyłącznie markowy papier

toaletowy

GARDEROBA GWIAZDY

Zrób własną listę już teraz. Przygotuj się na swój wielki dzień.

Jak dobrze znasz

Odpowiedz na pytania, a potem poproś kumpla o to samo. Policz, ile razy każdemu z was udało się trafić.

IMIĘ KUMPLA: _____

Czy twój kumpel kiedykolwiek rzygał
w samochodzie? _____

Gdyby mógł spotkać jakąś znaną osobistość,
kogo by wybrał? _____

W jakiej miejscowości się urodził? _____

Czy kiedykolwiek dostał takiego
ataku śmiechu, że mleko poszło
mu nosem? _____

Czy kiedykolwiek był wzywany
do dyrektora? _____

9-10: ZNASZ SWOJEGO KUMPLA NA WYLOT. TO PRZERAŻAJĄCE.
POWINIENEŚ SIĘ LECZYĆ.
6-8: CAŁKIEM NIEŹLE... NAPRAWDĘ SPORO O NIM WIESZ!

swojego KUMPLA?

Jakie jest jego ulubione
śmieciowe żarcie?

Czy kiedykolwiek coś sobie
złamał?

Kiedy ostatni raz zmoczył łóżko
przez sen?

Gdyby musiał na zawsze zmienić
się w jakieś zwierzę, co by
to było?

Czy jego wielką tajemnicą jest
lęk przed klaunami?

A teraz podlicz poprawne odpowiedzi i spójrz na
punktację, żeby sprawdzić, jak ci poszło.

2-5: LUDZIE, WYŚCIE SIĘ POZNALI WCZORAJ CZY JAK?
0-1 NAJWYŻSZY CZAS ROZEJRZEĆ SIĘ ZA NOWYM KUMPLEM.

Zrób sobie i kumplowi TEST

Chcesz się przekonać, czy ty i twój kumpel tworzycie zgrany zespół? Przyjrzyj się parom przedmiotów poniżej i zaznacz w każdej dwójce ten, który bardziej ci odpowiada.

NA DOPASOWANIE

Potem niech twój kumpel zrobi to samo. Sprawdźcie, czy więcej was łączy, czy dzieli!

Gdybyś miał

Gdybyś mógł cofnąć się w czasie i zmienić przyszłość, ale miał na to tylko pięć minut, dokąd byś się przeniósł?

Gdybyś mógł cofnąć się w czasie i zobaczyć na własne oczy jakieś ważne wydarzenie historyczne, co by to było?

Gdybyś musiał utknąć w przeszłości już na zawsze, jaki okres w dziejach świata byś wybrał?

WEHIKUŁ CZASU...

Gdybyś mógł wrócić do swojej przeszłości i nagrać filmik z jednego jedynego wydarzenia, na które byś się zdecydował?

Gdybyś mógł przenieść się w czasie i coś powiedzieć swojemu ja z przeszłości, co by to było?

Gdybyś mógł przenieść się w czasie i coś powiedzieć swojemu ja z przyszłości, co by to było?

Totalnie odjechane

Żart ze staniem na jednej nodze

KROK PIERWSZY: po drodze ze szkoły załóż się z kumplem, że nie uda mu się wytrzymać przez trzy minuty na jednej nodze bez otwierania ust.

KROK DRUGI: kiedy twój kumpel stanie na jednej nodze, załomocz naprawdę mocno w drzwi jakiegoś wrednego sąsiada.

KROK TRZECI: daj drapaka.

KAWAŁY

NUMER, KTÓRY WYKRĘCIŁEŚ PRZYJACIELOWI:

NUMER, KTÓRY WYKRĘCIŁEŚ KOMUŚ Z RODZINY:

NUMER, KTÓRY WYKRĘCIŁEŚ NAUCZYCIELOWI:

Narysuj swój POKÓJ

– tak jak wygląda w tej chwili

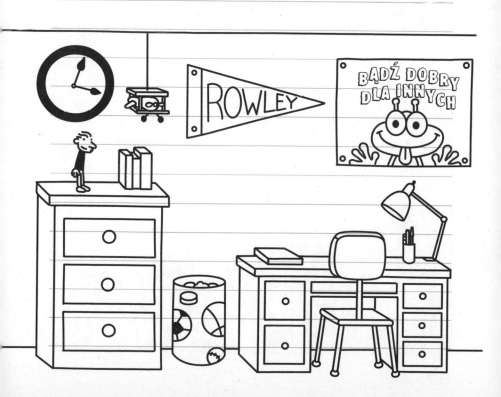

Niedokończone

Centralne Biuro Przeciwbąkowe

KOMIKSY

Centralne Biuro Przeciwbąkowe

Narysuj SWOJE

WŁASNE komiksy

Twoje przyszłe

ODPYCHACZ NIEŚWIEŻEGO ODDECHU

WIATRAK ELEKTRYCZNY

PANIE HHHHHEFLEY, CHHHHHCIAŁBYM, ABY PAN OPOWIEDZIAŁ O HHHHISTORII HHHHOLANDII.

GRUBA GUMKA

ZIUUU

TŁUMACZ LUDZKO-ZWIERZĘCY

SŁUCHAWKI

KOMPU-TEREK

HAU!
HAU!
HAU!

CZEŚĆ!
CZEŚĆ!
CZEŚĆ!

MIKROFON

WAŁEK SMAKOWY

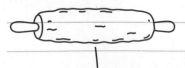

(SMAKI MOGĄ BYĆ RÓŻNE: NA PRZYKŁAD ŚMIETANOWO-CEBULOWY, SEROWY ALBO BARBECUE)

WAŁEK POKRYTY WARSTWĄ CZIPSÓW ZIEMNACZANYCH W PROSZKU

LIZ

WYNALAZKI

WYPISZ SWOJE WŁASNE NIESAMOWITE
POMYSŁY. BĘDZIESZ MIAŁ KIEDYŚ DOWÓD,
ŻE WPADŁEŚ NA NIE JAKO PIERWSZY.

Zaprojektuj swoje własne BUTY

Słynni sportowcy mają buty, których design sami
wymyślili. Czemu nie miałbyś postąpić podobnie?
Stwórz projekty buta do gry w koszykówkę i adidasa,
które będą odzwierciedlać twoją osobowość.

Uniwersalny, GENERATOR WYMÓWEK

Zapomniałeś odrobić pracę domową? Spóźniłeś się do szkoły? Niezależnie od sytuacji możesz się posłużyć tym poręcznym Uniwersalnym Generatorem Wymówek, żeby uniknąć kłopotów. Po prostu wybierz po jednej części wymówki z każdej kolumny i po sprawie!

MOJA MAMA	PODARŁA	MOJĄ PRACĘ DOMOWĄ
MÓJ PIES	ZJADŁ	MÓJ AUTOBUS
MÓJ MAŁY PALEC U NOGI	PRZYDEPNĄŁ	MÓJ POKÓJ
JAKIŚ OBCY CZŁOWIEK	USZKODZIŁ	MOJE UBRANIE
TOALETA	UDERZYŁA	MÓJ LUNCH
KARALUCH	ZMIAŻDŻYŁ	TWOJE PIENIĄDZE

TOALETA USZKODZIŁA MÓJ LUNCH!

Zrób mapę swojego

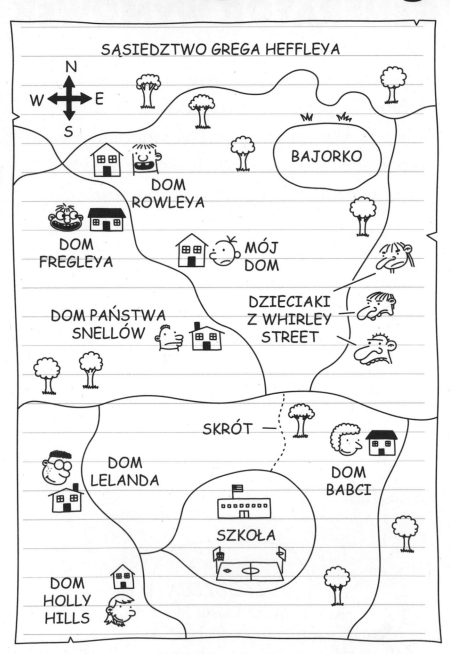

SĄSIEDZTWO GREGA HEFFLEYA

N
W E
S

BAJORKO

DOM
ROWLEYA

DOM
FREGLEYA

MÓJ
DOM

DOM PAŃSTWA
SNELLÓW

DZIECIAKI
Z WHIRLEY
STREET

SKRÓT

DOM
LELANDA

DOM
BABCI

SZKOŁA

DOM
HOLLY
HILLS

SĄSIEDZTWA

TWOJE SĄSIEDZTWO

Stwórz swoje własne

PRZÓD	ŚRODEK

Droga ciociu Jean,

DZIĘKI

za przecudne skarpety,
które dla mnie
wydziergałaś.

Ale następnym razem
kasa zupełnie wystarczy.

FRAJER!

PYCH

PRZÓD	ŚRODEK

Tak mi przykro,

że nie wyszło ci
z Lyndsey.

PS Mógłbyś się
dowiedzieć, czy
jej zdaniem
jestem „słodki"?

KARTKI Z ŻYCZENIAMI

PRZÓD

ŚRODEK

PRZÓD

ŚRODEK

WAKACJE TWOJEGO ŻYCIA

Perły MĄDROŚCI

Wypisz słynne cytaty – wypowiedzi znanych ludzi albo osób, które znasz!

RYBY I GOŚCIE CUCHNĄ PO TRZECH DNIACH!

NIGDY NIE JEDZ ŻÓŁTEGO ŚNIEGU!

OJĆ!

Niedokończone

Czadowi skejci

KOMIKSY

Czadowi skejci

 # Narysuj SWOJE

WŁASNE komiksy

Zaprojektuj własny

NAWIEDZONY DOM

Gdybyś miał

Gdybyś mógł czytać w cudzych myślach, czy naprawdę chciałbyś to robić?

TAK ☐ NIE ☐

> CIEKAWE, CZY PLASTER Z MOJEGO PALCA WPADŁ DO TYCH CZIPSÓW ZIEMNIACZANYCH...

CHRUP CHRUP

CZIPSY

Gdybyś był superbohaterem, czy chciałbyś mieć pomocnika?   TAK ☐ NIE ☐

> DZIĘKUJEMY, ŻE NAS URATOWALIŚCIE!

> ŚCIŚLEJ BIORĄC, TO W 99% MOJA ZASŁUGA.

R

SUPERMOCE...

Gdybyś był superbohaterem, czy chciałbyś trzymać swoją tożsamość w tajemnicy?   TAK ☐ NIE ☐

GREG, MAŁY JOEY
WPADŁ DO STUDNI
I POTRZEBUJE
TWOJEJ POMOCY!

ZNOWU???

Czy chciałbyś mieć rentgenowski wzrok, jeśli nie mógłbyś go wyłączyć?   TAK ☐ NIE ☐

WRZASK!

Narysuj swoich PRZYJACIÓŁ,

jak zrobiłby to Greg Heffley

Kilka pytań

Czy zdarzyło ci się schować jedzenie w pępku, żeby mieć przekąskę na później?

Czy zwierzęta komunikują się z tobą w myślach?

Czy pedagog szkolny nazwał cię kiedykolwiek „nieobliczalnym i niebezpiecznym"?

od FREGLEYA

Gdybyś miał ogon, do czego byś go używał?

Czy kiedykolwiek zjadłeś strupa?

Chciałbyś się pobawić w „chłostanie pieluchą"?

Czy kiedykolwiek odesłano cię ze szkoły do domu z powodu „problemów z higieną"?

Prawdopodobnie znowu nie podtarłeś się zbyt dokładnie, **Fregley.**

Wymyśl swoje własne

Wyobraź sobie najbardziej odjechane konkurencje, a potem wybierz czempiona. Zasady są takie: najpierw stwórz kategorie (na przykład: Superłotrzy, Gwiazdy Sportu, Postacie z Kreskówek, Zespoły Muzyczne, Menu Śniadaniowe, Programy Telewizyjne i tak dalej).

Następnie umieść swoje typy na ponumerowanych liniach. Rozegraj pojedynek, a zwycięzcę awansuj do następnej rundy.

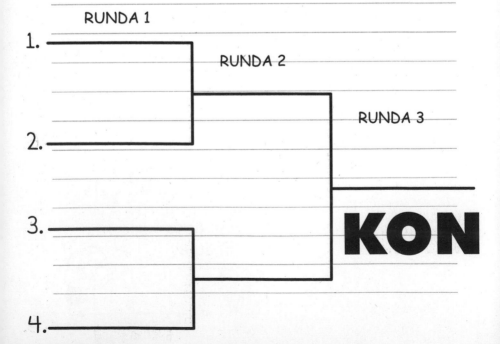

ZAWODY

Na przykład w konkurencji Menu Śniadaniowe płatki mogą pokonać jajka i przejść do kolejnego etapu zmagań.

```
       PŁATKI
   1.
                    PŁATKI

       JAJKA
   2.
```

Graj w ten sposób, aż na placu boju pozostaną tylko dwaj przeciwnicy. Kiedy dojdzie do ostatecznego starcia, zakreśl tego, kto okazał się najlepszy. To twój debeściak!

RUNDA 1

5.

RUNDA 2

RUNDA 3

6.

TRA

7.

8.

Autografy

Co widzisz w

Spójrz na te kleksy i napisz, z czym ci się kojarzą. Musisz naprawdę wysilić wyobraźnię! To, co zobaczysz, prawdopodobnie mówi coś o twojej osobowości... ale co takiego? Sam zdecyduj!

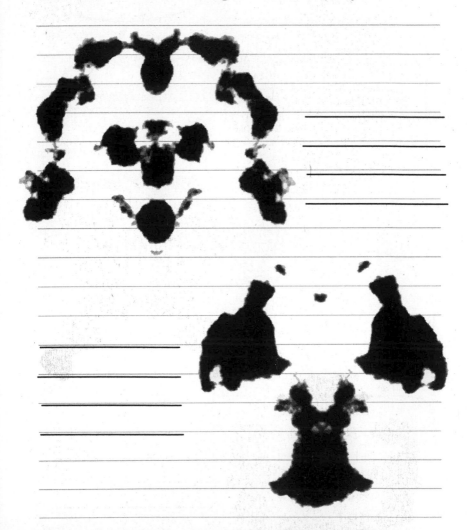

ATRAMENTOWYCH PLAMACH?

_____

_____

_____

_____

_____

_____

_____

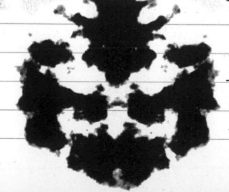

_____

_____

_____

_____

PIERWSZY ROZDZIAŁ

Rozdział pierwszy

DZIECIŃSTWO

Urodziłem się w _____

dnia _____. Ważyłem _____, miałem _____

wzrostu i wyglądałem jak _____ .

Jako niemowlak spędzałem czas na _____

i _____, zanim ukończyłem _____ miesięcy

i wreszcie zacząłem _____.

Od najmłodszych lat wykazywałem talent do _____

_____, ale nigdy nie nauczyłem się dobrze

_____. Lubiłem jeść

_____, ale nie cierpiałem _____.

W wieku ____ lat bardzo zainteresowałem się _____

_____, jednak znudziło mnie to _____ później,

a wtedy wciągnąłem się w _____.

twojej AUTOBIOGRAFII

We wczesnym dzieciństwie miałem dość odwagi, żeby
_____, ale bałem się śmiertelnie
_____. Prawdę mówiąc, do dzisiaj
szerokim łukiem omijam _____.

Moim najlepszym kumplem w tamtym czasie był
koleś o imieniu _____, który dzisiaj pracuje
jako _____ w _____.

Moim największym skarbem był _____.
Najlepsze przyjęcie urodzinowe wyprawiono mi, gdy
skończyłem _____ lat. Dostałem wtedy _____
od _____.

Mój ulubiony program telewizyjny nosił tytuł _____
_____. Kiedy nie oglądałem TV, całymi
godzinami uwielbiałem _____.

Gdy byłem mały, wszyscy zawsze mi mówili, że
pewnego dnia zostanę _____. Kto by się wtedy
domyślił, że w rzeczywistości _____
_____?

JENY JULEK!

Autor: Rowley

Przepraszam, czy mógłby mi pan na sekundkę pokazać swoją szyję?

Jasne, ale czemu?

Bo jestem wampirem!

CHAP

JENY JULEK!

Kurczę! Właśnie miałem sen, że zostałem pochowany żywcem!

Ojć! Ja naprawdę zostałem pochowany żywcem.

ŚP.

JENY JULEK!

Mój nowy klonujący pistolet może zrobić kopie czegokolwiek!

Nie zalewaj!

PSTRYK!

JENY JULEK!

Gareth ZIELONA FASOLA
Autor: Fregley

Gareth to zwyczajny uczeń, który zupełnym przypadkiem jest też zieloną fasolą.

Gareth
(rozmiar rzeczywisty)

Koledzy szkolni Garetha wciąż mu dokuczają z powodu jego wzrostu.

Hej, usiadłeś na moim krześle!

Nie widzę na nim twojego nazwiska.

Ale zaraz będzie na nim mała zielona plamka.

Gareth próbuje swoich sił w różnych sportach, jednak nie ma szczęścia.

Patrzcie, co zwisa z mojego nosa, chłopaki!

PUSZCZAJ, NĘDZNIKU!

HA, HA, HA

HA, HA, HA

Nawet nauczyciele Garetha czasem się z niego nabijają.

Bardzo dobrze poszło ci na teście, jak na kogoś z mózgiem wielkości groszku.

Jeśli sugeruje pan, że jestem grochem, nic widzę w tym nic zabawnego.

Uspokój się, synu, robisz się czerwony jak burak.

Pewnego dnia Gareth próbuje znaleźć jakieś pozytywy w swoim położeniu.

Cóż, przynajmniej jestem wyjątkowy... Jestem pierwszą fasolą, która chodzi do tej szkoły.

Przykro mi, Gareth, spójrz na tę starą księgę pamiątkową.

KSIĘGA PAMIĄTKOWA

?

Gordon

Kapitan drużyny piłkarskiej

Ulubieniec szkoły

Najlepszy uczeń

A niech to.

DANIELEK KOMIK

Autor: Greg Heffley

DOBRZE, TO MÓJ
PIERWSZY ŻARCIK:
PUK, PUK.

KTO TAM?

DANIELEK.
CZY TO NIE
ŚMIESZNE?

NIE, ANI TROCHĘ.
TO NAWET NIE JEST
PRAWDZIWY ŻART
Z „PUK, PUK"!

O KURCZĘ.
MYŚLAŁEM,
ŻE TO BĘDZIE
ZABAWNE.

DOBRZE, MAM INNY ŻART.
PEWNEGO RAZU... TEN
KURCZAK... I WTEDY NA
CAŁEJ ULICY...
JEJKU, CHYBA TO
SPALIŁEM.

TE DOWCIPY SĄ
BEZNADZIEJNE!

Dziewczyny RZĄDZĄ!

autorki: tabitha cutter
i lisa russel

HIERONIM

facet z

NIEWIARYGODNIE CZERWONYMI USTAMI

Autor: Greg Heffley

CENTRALNE BIURO PRZECIWBĄKOWE

Autor: Greg Heffley

W NASTĘPNYM ODCINKU: CENTRALNE BIURO PRZECIWBĄKOWE ROBI NALOT NA BAR BURRITO!

Brzydki Gienek

Autor: Greg Heffley

W zasadzie to nazywam się po prostu „Gienek".

Samo „Brzydki" by wystarczyło.

Psiakość.

Co nowego, dziewczyny?

Nic. Nadal jesteś brzydki.

He, he, he.

Cześć, mamo. Myślisz, że jestem brzydki albo coś w tym stylu?

Nie, synu. Myślę, że jesteś <u>potwornie</u> brzydki.

Choroba.

Do licha, mam dość bycia brzydkim. Zamierzam coś z tym zrobić.

Może na początek rozsmaruj sobie błoto na twarzy?

He, he, he.

KOMANDO KUKSANIEC

Autor: Rowley

Zaraz cię walnę moją patelnią, Panie Pięść!

Och nie!

No... to... zobaczysz!

Aaach!

JUTRO: UWAGA!

Poczuj siłę mojej patelni, łajdaku!

To bardzo nie OK!

To będzie bolało!

Ja też tak sądzę!

JUTRO: BÓL!

W POPRZEDNICH ODCINKACH...

PAN PIĘŚĆ ZARAZ OBERWIE OD KAPITANA KOPNIAKA PATELNIĄ PO GŁOWIE.

Przygotuj się...

NIEEEEEEE!

JUTRO: CIOS!

BAM

AUĆ.

W PRZYSZŁYM TYGODNIU: PAN PIĘŚĆ KONTRATAKUJE!

DANIELEK DINOZAUR

Gareth ZIELONA FASOLA w:

Gareth ubiega się o URZĄD

Autor: Fregley

ODWRÓĆ STRONĘ ➡

Gareth ZIELONA FASOLA i...

ZEMSTA GARETHA

Autor: Fregley

Pewnego dnia do Garetha przychodzi list...

A co to?

Drogi Garecie,

zostałeś wybrany, aby zostać
uczniem Szkoły Czarodziejów
i Czarnoksiężników
w Warzywarcie!*

* nie mylić ze Szkołą Magii i Czarodziejstwa
w Hogwarcie

Spróbujcie tego, nędznicy!

ŚWIST

AŁAAAAAAAA!

Hmm...

Pieszczoszek
Autor: Eldridge Perro

Buraki biurowe
Autor: Bert Salas

Och, dziadziu!
Autorka: Beverly Bliss

DZIENNIK

uroczego

chłopaczka

Rowley Jefferson

Drogi Dzienniczku,
dzisiaj wydałem całe kieszonkowe na
upominek dla Grega. On jest moim naj-
-naj-najlepszym przyjacielem na świecie,
no więc kupiłem medalik, który obaj
moglibyśmy nosić, żeby wszyscy o tym
wiedzieli.

Ale szybko się okazało, że Greg nie
lubi biżuterii. No trudno, ja w każdym
razie będę nosił swoją połówkę.

Możliwe, że Greg jest jeszcze na mnie
wściekły o to, co zrobiłem w sobotę,
kiedy nocowałem u niego w domu.

Przyłapał mnie na tym, jak przymierzałem w łazience jego aparat na zęby, i wrzeszczał przez dobre dziesięć minut.

Czasami Greg złości się na mnie i używa brzydkich wyrazów, ale ja się tym nie przejmuję. Wiem, że jestem uroczym chłopaczkiem, bo tak mi zawsze mówią mama i tata.

Drogi Dzienniczku,
cieszę się, że Greg jest moim najlepszym
przyjacielem, bo on zawsze daje mi
dobre rady.
Na przykład dzisiaj powiedział, że
napisy na przebieralniach chłopców
i dziewczynek zostały przez pomyłkę
zamienione miejscami.

No cóż, zaraz wyszło na jaw, że tym
razem Greg się pomylił.

Musiałem pójść do dyrektora, a potem odnalazłem Grega i go uspokoiłem, że z napisami jest wszystko OK.

Gregowi <u>często</u> przydarzają się podobne pomyłki. W zeszłym roku twierdził, że następnego dnia w szkole będzie Światowy Dzień Piżamy, no i wiecie co? Zupełnie nie miał racji.

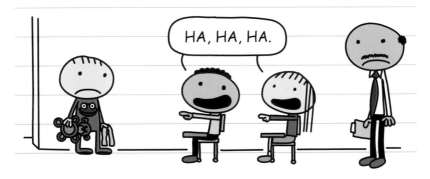

Na szczęście Greg sam zapomniał przyjść w piżamie, no więc przynajmniej on nie najadł się wstydu.

Czasem jest trochę marudny, ale ja zawsze robię różne rzeczy, żeby go rozśmieszyć.

Teraz rozumiecie, dlaczego ja i Greg tak się lubimy i dlaczego będziemy

NAJLEPSZYMI PRZYJACIÓŁMI

AŻ PO GRÓB.

Zaprojektuj swoją własną OKŁADKĘ

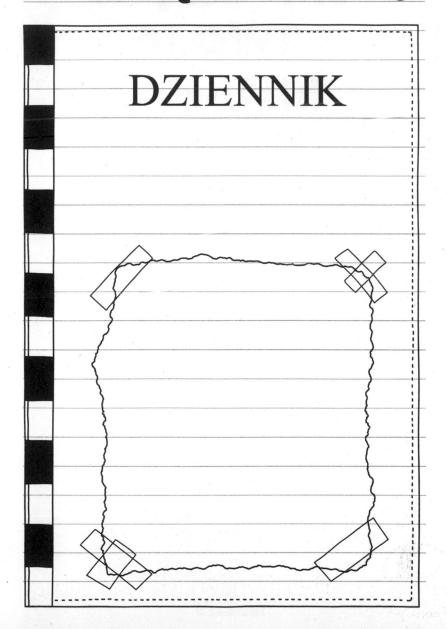

DZIENNIK

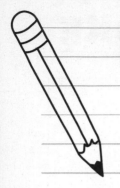

A jaka jest TWOJA historia?

Użyj pozostałych kartek, jak chcesz: możesz na nich prowadzić własny dziennik, napisać powieść, rysować komiksy albo opowiedzieć historię swojego życia.

Cokolwiek jednak zrobisz, pamiętaj o jednym. Te zapiski nie mogą wpaść w niepowołane ręce.

Bo kiedy już się staniesz sławny i bogaty, one będą warte MAJĄTEK.

OCHRONA

O AUTORZE
(TAK, O CIEBIE CHODZI)

PODZIĘKOWANIA
(TU MOŻESZ WYMIENIĆ IMIONA OSÓB, KTÓRYM COŚ ZAWDZIĘCZASZ)